KB015686

My Dear Friends

Kim Ji Hyun

2021년부터 산책하며 본 풍경을 그려왔습니다. 『Dear My Friends』는 그 그림들을 모은 책입니다.

특히 집 근처 신리천은 제가 가장 자주 가고 좋아하는 장소였습니다. 계절에 따라 시시각각 변하는 자연은 피어나고 사라짐을 반복하며 고유한 리듬으로 아름다운 선율을 들려주었습니다. 춤추는 초록 물결과 따스한 주황빛을 가슴 가득히 채우고 집으로 돌아올 때면 다정한 친구의 위로를 받은 것처럼 마음 한편이 뭉클했습니다.

이 책에는 나무 그림이 많습니다. 찬찬히 바라본 나무의 기둥과 가지, 잎의 조화는 조형적으로 더할 나위 없이 매력적이었습니다. 그 순간을 최대한 단순한 선과 색으로 표현했습니다. 초록의 향기와 어루만지는 빛, 머무는 바람을 담아내고 싶었습니다.

산책을 좋아하는 친구들과 이 책을 나누고 싶습니다.

초록의 향기

어루만지는 빛

머무는 바람

안녕

초 록 의 향 기

보드라운 풀
축축하고 말캉거리는 흙
달콤쌉쌀한 나무 향기

My
Dear
Friends

My
Dear
Friends

My
Dear
Friends

My
Dear
Friends

My
Dear
Friends

My
Dear
Friends

My
Dear
Friends

어 루 만 지 는 빛

유유히 흘러다니다
부드럽게 어루만지고
구석구석 채운다.

My
Dear
Friends

My
Dear
Friends

My
Dear
Friends

머 무 는 바 람

요즘에는 바람을 느끼는 재미가 쏠쏠하다.

손에 닿는 바람을 잡았다 놓는다. 손끝으로 튕겼다 쓰다듬는다.
어느 날은 동글동글한 나선형의 바람이 느껴졌다.

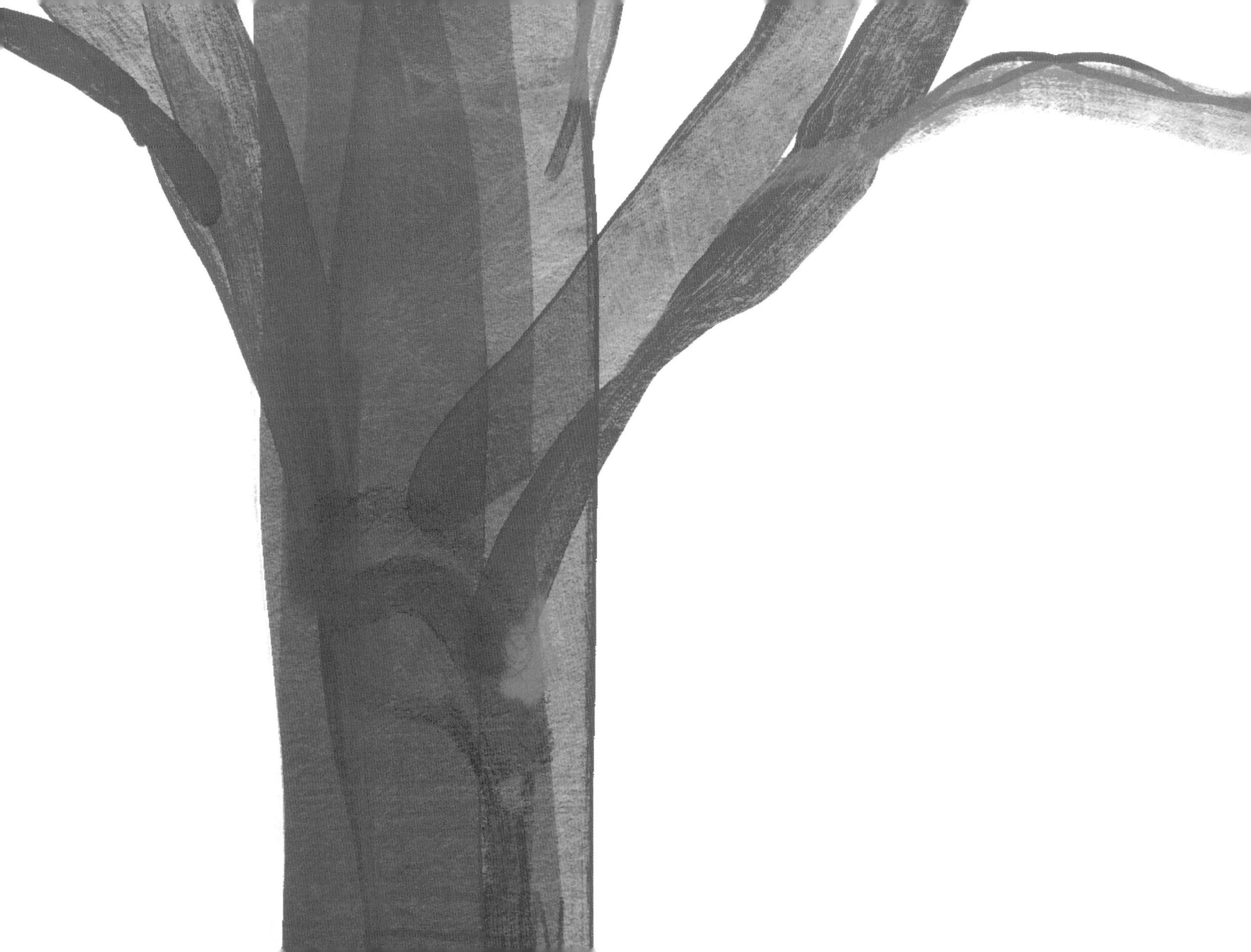

My
Dear
Friends

My
Dear
Friends

안　　　　　　　　　녕

My
Dear
Friends

My
Dear
Friends

My
Dear
Friends

My
Dear
Friends

김지현
학창 시절 메일 아이디가 '그림결혼'일 정도로 그림을 좋아했다. 대학에서 그림을 공부하고 예술단체에서 근무했다. 결혼과 출산, 육아를 하며 새로운 세상이 보이기 시작했다. 2021년부터 다시 그림을 그린다.
전자우편 sunshine2627@naver.com
인스타그램 @andante_jh2

My Dear Friends

발행일 2023년 11월 22일
지은이 Kim Ji Hyun
표지디자인 짜릿한 해파리
발행처 인디펍
발행인 민승원
출판등록 2019년 01월 28일 제2019-8호
전자우편 cs@indiepub.kr 대표전화 070-8848-8004 팩스 0303-3444-7982

ⓒ Kim Ji Hyun 이 책은 저작권법에 따라 보호받는 저작물이므로 무단 전재와 복제를 금합니다.
ISBN 979-11-6756433-7 (02650)

값 15,000원

이 책은 화성시문화재단의 ' 2023 청년예술인 자립지원' 사업의 지원금으로 발간되었습니다.